복숭아

알러지

무명

목차

1부 — 물 속성 자아는 익사한다

2부 — 녀름

3부 — 녹음은 가시고 여긴 열대·야

4부 — 싸구려 별숲

01

물
속
성
자
아
는

익
사
한
다

장마 전선

Yiruma - Preludio Al Vento

투명 우산을 쓰는 이유에는
그들이 나를 알아채기 위함도 있으나
나 또한 그들을 알아보기 위함이 있었으니

매 걸음 매 폭우
구름이 뭉쳐 우박같이 보이던 날
기원은 투명성을 내던진다

시야는 암막이 되리라

보행자는 보험을 가능케 하고
우산 꼭지에 매달렸든 녹로에 끼였든
나는 장마에 덮여 배수되고야 만다
가장 맑은 날에 최전선에 선다

人과 忍

Yiruma - Kiss The Rain (Orchestra Version)

인내의 선을 넘으면 선이 되지 못한다고 괴
로움을 양식으로 삼아 살을 재생시킬 수 있
는 벗들이란— 이랑 삶을 도모할 수도 없다

목숨이 생존에 빌붙고 생존이 본능에 빌붙고
본능이 이성에 빌붙고 이성이 자아에 빌붙고
그렇게 빌붙고 빌붙는 양상의 당연시가 더
이상 끈적해지지도 않는다

선 넘은 인내는 악취가 난다
구태여 사람 냄새를 풍긴다

폐수

Mariya Takeuchi - Plastic Love

볕이 들지 않는 수면 아래는
기포소리마저 소음이 되어버리고 말 거라는
정정당당했던 감상과 이야기
물고기들은 이승 사전에서 찾아볼 수 없는
불쾌취에 불쾌를 알아 나를 피한다

비늘로 뜬 아가미 차단 방법
나는 목이 찢어지지 않았지만
입을 열었기에 말을 할 수 없었고
그들은 나를 둥글게 에워싼다
뼈만 남은 채 파묻힌다

물 속성 자아는 익사한다

the engy - Stay where you are

머리 박살

심장 마비

다리 골절

사람으로 걸을 바엔 화상이 나아

아스팔트와 타르, 습기

무관심한 모래알을 퍼석하게 밟고

곪아가는 발가락과

다리 위 다리를 교차로 본다

여름 만끽이에요

선선한 바람과 자기주장의 구름 아래로

소수의 물장구가 거듭된 계절을 대변할 거라

이럴 때가 아니면 언제 뛰어들겠어요

13

기대된다
다녀올게
여름이야

無理心中 [1]

G over - Hood

그림자의 증명에 대해 속닥이는 밤
너는 그 그늘을 아니
너는 그런 나를 아니
풀벌레에 쫓기듯 오르지 않아도 돼
밤은 깊고 산은 더욱 깊기에
이곳에서 다정해지잔 외침을 빈다

낙하물체 경고
낙하물체 경고

우리잖아

---

1) むりしんじゅう(일본어): 동반자살, 강제
   정사(情死), 억지 정사

물그림자

신지호 - Marionette

유의어를 따지면 불행이 되는, 벗이었나
청춘도 말기가 있어 마지막 잎새에 닿은
병증보다 퇴색이 쉽다는 사실을 고지해

바다나 강이나 밤이 붙으면
다 괜찮아 자질구레함에 취해, 선

저 멀리 물그림자가 서성이는 것도
네온사인에 가려지는 순간만을 착각한
축제로 쓰레기 더미마냥 찬양하겠지

바다나 강이나 밤이 붙으면
우연의 훼방꾼도 운명이 될 텐데

여름내냥

미인도 OST - 월야밀회

문틈도 미끈하고 낮과 밤을 새워도 창호지에
바람 들 날 없어 여름내냥 가슴이 찌르르
바깥양반들의 소매 춤만 지지고 볶아 증조모
의 벌판 농사를 일구는 것보다 거종한 것이
쉽다는 말에도 땀이 삐질 나는 모양이라 혀
를 한 번 끌 차곤 첨아 밑에 숨겨놓은 웅덩
이에 발을 담그곤 어서 오소 어서 허투루
뒷날 된 적 없는 소망에 임의 이름 첨벙여
도 마냥 희뿌유스름하기만…… 해야, 해(害)

CnH2n+1OH

X-Japan - Love Replica

78.4 VS 64.7 (WIN !)

20ml

40ml

미슐랭 0스타

Manos Milonakis - Fast Food

비는 내리고 공기는 쫄깃하고
계단식 천장 구조에 걸맞은 이층집 가족들
다 먹은 페트병 콜라는 나의 무기죠
쿵

　쿵
쿵

　쿵 쿵.
아내의 비명과 남편의 욕설
아이의 울음소리 하나 둘 세 마리

창가로 보이는 풀잎의 빗방울
공기는 턱없이 부족하고
고함은 묵념과 닮았더라지

바퀴벌레 가족들이네 그렇네

물아일체

Zack Hemsey - The Way (Instrumental)

맨발을 준비하기

신발 한 켤레 중 한 곳엔 휴대전화

날씨 맑음

오후 세 시 삼십사 분

플레이리스트 랜덤 셔플

옷은 벗지 않기

옆자리엔 모자 한 쌍

사람 좋은 얼굴

기분 좋은 미소

오후 여섯 시 삼십 분

종결

기약은

없음

02

녀
름

들판의 옷을 입고

Alexandre Desplat - Elisas Theme

하얀 원피스의 챙 넓은 모자
눈을 감은 채 솜털을 이는
개미 군집을 상상한다
체취가 꽃과 같기를 꽃그늘이기를
독침을 달고도 배회하는
꿀벌의 악상도 달큼하겠지
들판의 옷을 입고
81억 명의 지구를 그려본다
그들의 뉴런으로 잠식되어
손가락의 세포들을 깨운다
바람결을 따라가는 유·무기체의 생명들

보인다 만져진다 맡아진다 들린다
계절이 입 속에 들어와 공생을 택한다
미각에서 세상이 피어난다

녀름

Mrs.Green Apple - 春愁

여름을 불리는 대로 발음해 녀름이 되고자
하는 게 아니었음에도 그렇게 되어버리고 마
는 오늘의 시점처럼 너를 불어 짧아진 교복
의 기록 속에 묶어두고 싶어

교정의 웅성임에 러브레터를 숨겨두면
너는 날 찾아줄까
정갈한 글씨체로 휘갈긴 나리야

책상 위엔 칼집으로 쓰인 하트 모양
운동장엔 흙먼지에 뒤덮인 어제의 봄
방과후엔 저녁 놀에 질척이던 이어폰
후문엔 대충 잠근 자전거들의 모임

교차로의 경적에 묻힌 ' 아해'

한껏 찌푸려진 더위는 무엇을 녹이는 걸까
횡단보도의 빨간 신호등이 길다

첫사랑은 ___

Ikuta Lilas - Answer

사랑은 역풍이야
사랑은 종소리야
사랑은 한여름의

첫사랑은 비밀이야

쪽지들과 한 장의 편지 한 편의 짝사랑
바보—
첫사랑은 티가 나

점심시간 맞잡은 두 손
단둘이 나섰던 영화관의 팝콘 속
가사들로 공유했던 팝송의 필기체
버스 차창의 빛을 가려주던 나
손에 맺힌 땀을 닦아주던 너

풀꽃 핀 계단에 나란히 앉아 쓰던 소설

첫사랑은

—.

황새냉이

Back number - 수평선(水平線)

밤을 바라보는 낮의 기온을 알고자
아지랑이 능선으로 뻗어보는

나는 팔을 잘라 내던지고 싶어요
나의 다리를 잘라 내달리고 싶어요

할 수만 있다면
할 수만 있었다면

해가 지면
여긴 싸구려 별숲이에요

복숭아 알러지

Sarah Kang - A Thousand Eyes

철창 사이는 푸름
그들과 나는 녹음
오, 프릴 달린 구더기 세상을 멀리해요
0.5평 공간에서 나는
도요사사키 접시와 복숭아 두 덩이로
온몸이 파르르 그라데이션의 흰자위
고운 전염에서 벗어날 거예요

껍질의 물기가 마르면 찾아오는 그들에게
물렁한 복숭아를 건넬 거예요
부디 맛있으세요

맛있어요 부디

인간 충돌 방지

Ellise - 911

태양

오존층과

　　　　　　　자연재해인 거 모르셨어요?
아　니　　이　게　　왜　　저　희　　탓

인간이 잘못했는데 ·

　　　　　　왜 자연을 살린다고 하십니까

잘　하　는　　소　리　　하　세　요
구　　　　　　　원　　　　　　　!

　　　　　　　　신이시여

파란 무덤

조승연 - 파랗게

인부들의 땀방울은 돈이 되지 못하겠지
땀샘이 막히는 만큼 쌓은 고인돌에
파란 페인트를 칠하면
고인모독이 되나요
고인모돌이 되나요
파랗게 칠하던 와중
파랗게 칠해지던 와중
시시덕
시시덕
거닌다

새 싹

Mindo - 6am (sun)

빛이 길어지겠구나
여름의 초입
반소매 아래로 드러난 피부를 쓸어대며

인도 발판 사이에 떨어진 콩알 찹쌀
해가 뜨는 방면으로 고개를 치켜세워
새 아침이어요

사색과 겸상하는 강 나무 그늘 평상 위
사람 몸에 팔다리가 두 짝인 것은
大자로 퍼질러란 뜻으로

어느 때였나
눈두덩이 잡혀가는 줄도 모른 날에
서로의 싹을 비비던 소음조차 부러웠었지요

꼬리콥터

너의 이름은 - Sparkle (Piano)

목줄은 자유일까?

능소화 색의 폭신한 집
벌레도 찝찝함도 싫어 사계를 외면해도
입가에 번졌던 여름아 이리 와
손뼉 두 번에 강아지 왈츠같아

다음 달리기 시합에선 네가 꼭 져주길 바라

파란 셔츠 품에서 숨을 잃어가던 너
아픈 말을 하지 못하는 게
목을 물려서가 아니라
내가 사람이었다는 이유였다면

여름아, 가지 마

벌레와 습도도 능소화 색 폭신한 집이라면
시원할 수 있을 텐데

미화

優里 - 夏音

추억이란 단어를 미화해 남겨도 열기 띤 애정일 테니 속된 마음을 풀어보도록 해요 낯간지러워 얼굴이 타오를 사랑이어도 여름이었다 한 마디에 보정되는 삶을 살고 있잖아요 낯을 겁내지 마요 자신을 불안에 가두지 마 미화란 단어를 추억해 남겨도 완연한 시절로 보드라울 거예요 태양의 코로나에 밀리는 흑점도 아닐 테니 우리 어서 다음 해로 떠나요

03

녹
음
은

가
시
고

여
긴

열
대
·
야

퀸즐랜드

Sufjan Stevens - Death with Dignity

하루를 태우는 것은
음주가무와 비공식 달란트
XXXX 잔이 기울 듯 밤과 넘어가
웃고 떠들던 소음에 속삭이길
낯이 익으면 데인트리로 갑시다

비트색 피부로 체온은 식어간다
골드 코스트의 혜성 같은 운명론은
사자자리를 마시며 해로 지나친다

워터프루프 원고지

Sufjan Stevens - Mystery of Love

유월의 낱장엔 네가 쓰이겠지만 난 읽지 못
할 거야 고개를 두르는 자연을 보고 생각하
겠지 사춘기 몽정처럼 새빨개진 나무람을 볼
지도 몰라

간격 넓은 실선에 획수가 있어도 오선지여야
만 한다고 타이를 때마다 물에 젖지 않을
수 없어 너는 나의 오염이야 시냇물에 발을
적셔도 그림자는 초록 내 심정은 녹조가 되
어버리니까

눈을 깜박이면 깜박거리는 대로 퉁퉁 불어버
리는 글이 되어 서로를 못살게 굴어 한편으
론 한편의 월, 바깥에 널어놓은 것들을 걷어
오지도 못한 채 폭우가 쏟아진다

PEACH CRUSH

Vanilla - Swept Away

선글라스와 직선도로
시속 100km의 심골 떨구기
노상 피치 크러쉬
폭양 한 컷으로 박제될
여행과 나들이의 준말

녹음은 가시고 여긴 열대·야

ぜくろ - 自堕楽

여전한 인간들이 여전한 사족보행이었다면
패이는 것 없이 쩍쩍 바닥으로
녹음은 가시고 여긴 열대·야
야자수에 빰을 맞고 넝쿨에 휘감긴
녹음은 가시고 여긴 열대

기호로 이루어진 너와 나와
눈알이 굴러간단 표현으로
사람의 시선을 가리키는 게 맞을까

야한 기척이다
뛰고 간 보고 웃고 바보가 되어버리는
고등한 사람이 되었기에 어울리는
천연의 집합체·야

41

다차원

유다빈밴드 - ONCE

물길 위로 지문을 새겨놓고
도화지엔 허물 벗은 각인
나는 기다리니
너는 낚아주길

아가미를 벌리면
미끼 단 갈고리는 깊어지니
피를 쏟는 대신 내장을 훔쳐 가요

기다릴게
난 더 이상 숨지 않아
하류로 추락하면 낙상이 아닌 낙화가 되도록
엽축에 묻어난 나를 거두어요

LOOP

Gesu no Kiwami Otome – 透明な嵐

시부야의 밤
잿빛 홍조 셔츠를 휘날리며
도쿄 메트로를 건드는 사내

폭풍전야의 어감이 떠올라
캐리어에서 손을 떼고
출발하는 역에 시선을 돌린 형제

나열된 자판기를 찍는 카메라
고쿠리 음료의 물기를 떨구고
여긴 몇 번 몇 해 몇 장의 페이지죠?

사자자리에서 꾼 꿈
묶인 유월의 낱장
사내는 분명 나들이를 떠났고

형제는 여행길에 올랐다고
머리를 움켜쥔 채 죄다 패인 것만 같아요
나는, 당신은 무얼 봤는지
누굴 기다려 온 건지

불꽃축제

DAOKO, 米津玄師 - 打上花火

굴러다니는 물병처럼 잔디밭에 누워
눈동자에 사랑을 고백해
그날은 유독 붉은 시선이었지
박수갈채가 우릴 향한 독백 같았고
저 별을 봐
한껏 들뜬 입맞춤과 약지
살짝 깨문 치열의 증거가 되레 자유가 되어
목마르지 않니
아니 난 너로 충족해

불쾌지수 100

Saint-Saens : The Carnival Of Animal Suite -
XIII. The Swan (Ensemble DITTO)

혓몸을 숨겨도 질척거릴 겁니다
속눈썹이 이른 잠자리의 날개처럼 흔들리면
모근부터 흐르는 땀방울에 결국

무채색이 있다면 유채색도 있어야죠
호선 입꼬리도 잠시
나누는 커피 맛 아이스크림을 쪼개어
당신 향한 마음이 최악으로 치닫습니다

대화하는 이가 부닥칠 때마다
각설탕을 씹어대는 기분을 당신은 눈치챌까
불쾌지수 100의 사랑
여름에 만나선 안 될 사람

전기세를 신경 쓰지 않는 방에 앉아
당신을 향한 편지를 쓰겠습니다
철자가 닮은 이유는 착각을 위한 배포임을

소년으로부터

KK - それがあなたの幸せとしても

채팅창의 무념한 태도를 내려다보며
방전된 휴대전화에 비친 달빛을 내려다보며
옥상 아래 시멘트를 내려다보며
나는 무엇으로부터 태어난 걸까

와인의 첫 시음은 중요하다 했다
호불호의 취향으로 다음이 어려워진다고
혹시
태어였던 시절의 울음이 별로였을까

하루의 끝에서 끝을 바라보는 일은 쉬워
다리 난간에 뱃가죽을 걸치고
노을에서 해돋이까지 시간을 보내자며
너는 어느 시간대를 구원하는 걸까

겨울에서 온 소년으로부터
눅눅한 파장을 듣는다
몇 월 며칠인지도 모를 과거와 미래에서
유약한 현재를 건어내기 위해

열대야 사각지대

Chopin Nocturnes Op 9

No 2 in E Flat Major Andante

가리키는 것

돌아와 가르쳤던 것

손이 타들어 가는 것은

별을 따주겠단 망상에 닿은 벽에 가까운지

별을 쥔 채로 머문 자리 탓인지

낭만 설파를 위한 첫 장 첫 행을 열면

크리스티의 소설이 떠오른다

****

사람 둘이면 충분하겠죠

엑시투스[1]는 말했다

---

1) Exitus: 출구, 최후, 종말, 결말, [의학]사
   망을 뜻하는 독일어.

허공은 넷이지 않으냐고 물었다
공허는 영이지 않으냐고 다그쳤다

한 마디가 모여 와자지껄
마치 축제의 장인 듯 구는
모종의 다수를 발견한다

엑시투스는 말했다
그럼 사람 넷이면 충분하겠죠

허공은 여덟이지 않으냐고 물었다
공허는 영이지 않으냐고 다그쳤다

'그리고 아무도 없었다'

04

싸
구
려

별
숲

싸구려 별숲

백현 - 공중정원

바다로 뛰어들어 익사하는 낯은 익숙해서 호
흡을 틀어막고 우주론을 펼친다 차창 밖으로
들이민 위험 주의 머리통은 하염없이 바람결
에 스치지만 우람한 가지에 부딪혀 잘려도
좋아 이대로 죽어도 여한이 없다는 것은 아
무래도……

방전 직전의 배터리로 튼 음악은 우스갯소리
도 낭만으로 떨쳐주겠지

배기음에 갈려 나가는 것은 잎사귀도 아닌
지난밤의 세상일 테니 난

이상주의자의 내일을 수놓는다 이 공간엔 우
리로 공존하니까 너와 나는 감성에 취약해져

지워질 테니까

싸구려 별숲의 고급진 향취를 맡는다
오 년 후의 무덤 잡초에도 스밀 눅진한
초야

어린 양

Stephan Rozier - Daughter

밤의 메르헨은 고요한 아무개
야광 별들이 눈을 찌른다
천장을 올려다본 59일 災
위로는 번져간다

베개에 적힌 눈물의 대상은 무인이오

손에 쥐어진 것은 힘없는 바람이오

고개가 꺾인다
산장의 폐허 문짝
환상을 각인하면 추억이란 이름이 되지요
선한 빛이 다가온다
어린 양은 엄마를 애타게 찾지
못했습니다

악몽

The Haunting of Bly Manor –
Perfectly Splendid

생명과 자금 중 무엇이 더 탐욕에 가까울지
하얀 벽면에 두개골을 이고
생눈으로 그린 악마에게 팔 것을 생각했다
나는 아무것도 없는 것이 분명한데
그들은 내가 있다 말하는
어쩌면 가장 청렴한 유혹

되돌아 잠에 들 때에
나는 차라리란 말을 고백한다
천사를 부르짖었다면
현재의 악몽을 깨기 위해선
더 큰 악몽으로 들어가는 게 차라리
어쩌면

PaRaNoIde

Silent Hill 2 - TRUE

나는 나를 사랑하고
하늘을 우러러 신앙하는
이 땅의 피해자

나를 사랑하는 나는
하늘을 신앙하는 또 다른 시선을
이 땅은 피해자라

사랑하는 나는
나를 우러러 신앙하는 하늘을
시선의 피해자는 땅에

사랑하는 나를
나는 시선을 하늘에 우러러
신앙하는 피해자는 땅에

눈이 반짝인다
반짝이는 눈이 보인다
반짝이며 눈을 본다
보는 눈이 반짝인다

AMNESIA

Andrea Vanzo - Find a Melody

8月

너를 위해 긴 글을 쓰는 걸까. 나를 위한 긴 글을 남기는 걸까. 모호한 경계 위에 주름진 생명선을 달래면 분명해질 너와 나는 있기를. 바란다는 것은 이기적인 거라고 누누이 되뇐다. 그래서 죽도록 바란다. 만약과 농담과 가정으로도 폭력 위를 긴 강고한 우울로 인해.

4日

악필이 아니라는 사실과 사실에 악필이 아니라는 문장이 담겨있다는 것에 감사하며 산다. 다색의 포스트잇을 뜯어내 덕지덕지 생명력이 압류되는 광경과 인자한 미소 이젠 나의 솜털 가닥에도 무지개가 필 것 같아서

좋기만 하다. 겁에 불안을 자수하다 인정이
라 찢으니 이토록 강인한 미덕은 없더구나.

3日
당신과 그대와 너의 이름.

2日
모였다기보다 쌓였단 말이 어울릴 듯한 인파
의 불꽃축제가 첫 만남이었지. 나는 그때부
터 너를 너라 부르는 것을 참 싫어했던 것
같은데……. 그러니 이번은 순전히 의지이고,
실수야. 너스레 장단과 더불어 지냈던 네게
유일하게 원하지 않는 용서 말이야.

1日
내가 남긴 낱장들을 보고 있으니 문득 이런
생각을 했다. 사람의 색이란 게 있을까. 체구
를 더듬고 살결을 느끼고 굴곡을 파악하는
과정의 색. 얼굴을 마주하고 눈깜박임의 횟
수를 셀 수 있고 입술 모양과 콧잔등의 윤

기를 알아가는 동안의 색. 말을 나누고 어조를 듣고 말투를 상기하고 어휘를 이해하는 찰나의 색.

8月
긴 글을 쓰는 걸까. 남기는 걸까. 경계 위에 주름을 달래면 분명해질. 바란다는 것은 이기적인 거라고 누누이. 죽도록 바란다. 만약과 농담과 가정으로, 폭력 위의 강고한 우울.

정상우주론

Sufjan Stevens - Visions of Gideon

왜곡 안구로 찍는 카메라를 믿는 세태
사실을 인화한 왜곡을 믿는 세계

가동하지 않는 분수대의 중심에 누워
영원을 찬양했다

서로의 손을 잡는 대신 팔을 세우고
서로의 눈을 보는 대신 화각을 잰다

물기 찬 속눈썹을 깜박이며
이곳으로 다시 돌아오겠다

자리에서 일어나 엉덩이를 털고
뒤로한 모든 것을 내려놓고

싸구려 별사탕

Love Spells - Come Over and Love Me

달이 지면 아침을 그리워하지 못하잖아
입술을 쓸며 드립커피 한 잔의 여유처럼
말을 건네왔던 너의 장기는

여기 싸구려 맥주를 판다
슬리퍼 끌지 마
손가락 마디보다 손목뼈가 욱신거리는
너의 추진력을 따라 그래 달다

키스 한 차례를 끝내면
너는 꼭 내게 물었지
내가 별사탕 만들어 줄까?

여기 의자는 한 다리가 없다
야 같이 웃어 봐

넌 항상 너 같은 술에만 취하더라
원래 달달한 게 그런 법이거든

명왕성에 꽃이 피었다

haruka nakamura - World's end Rhapsody

마음이란

머리와 가슴 중
어디에 자리 잡고 있는지
심박수를 재어봐도
나는 수를 아는 것이지
너를 아는 것이 아니기에

잠에 빠지면 꿈나라 여행을 하듯
생생한 의식으로 별나라 여행을 하고 싶었다

온점이 자란 명왕성에 다다라
마음을 주는 일이 어째서 꽃이었는지
날아간 네게 물어도
나는 잔상을 스쳤을 뿐이지

네게 갈구 할 수 있는 것이 아니기에

마음이란

자그마한 쉼표여도 닮았다곤
여정의 뿌리를 내리고 싶다

알레르기성 별자리

Toshifumi Hinata - Passage

고유명사와 탄생

별을 따다 주겠단 말은

예부터 낭만이었던 건지

별을 따다 죽겠단 오타

손에 쥐면 방종으로 타들어 갈까

해가 달가운 밤

겨우 찾은 별자리는 몸에 박히게 된다

여름의 형태

Toshifumi Hinata - End of the Summer

바다의 또 다른 이름은 우주랬던
어느 날의 눈짓은 함구가 되어
오늘날로 평행해 비춰진다

물비늘에 자아를 투영하여
씻어보는 나이테 같은 빛들
늘 청산을 적고 정산이 출력되는 것 같다

걸음을 부축해야 하는 건
나 때문이 아니란 강요가 아니어야만 한다는
해와 달이 아닌 해와 밤

구할 수 없는 탓에
강설이 쏟아진다
한없이 쪼그라들고 메마르고 녹아든다

복숭아 알러지

발 행 | 2024년 05월 17일
저 자 | 무명
펴낸이 | 한건희
펴낸곳 | 주식회사 부크크
출판사등록 | 2014.07.15.(제2014-16호)
주 소 | 서울특별시 금천구 가산디지털1로
119 SK트윈타워 A동 305호
전 화 | 1670-8316
이메일 | info@bookk.co.kr

ISBN | 979-11-410-8560-5

www.bookk.co.kr